Astrid Lindg

Dzieci
z ulicy Awanturników

Astrid Lindgren

Dzieci
z ulicy Awanturników

Przełożyła
Anna Węgleńska

Ilustrowała
Ilon Wikland

NASZA KSIĘGARNIA

Tytuł oryginału szwedzkiego
Barnen på Bråkmakargatan
Rabén & Sjögren Bokförlag AB, Stockholm, Sweden

© Saltkråkan AB/Astrid Lindgren 1956
All foreign rights shall be handled
by Saltkråkan AB, Box 100 22, SE-181 10 Lidingö, Sweden
www.astridlindgren.net

Projekt okładki
Agnieszka Tokarczyk

Lotta jest taka dziecinna

Mój brat ma na imię Jonas, ja mam na imię Mia Maria, a nasza mała siostrzyczka nazywa się Lotta. Ma tylko troszkę ponad cztery lata.

Tatuś mówi, że w naszym domu było całkiem spokojnie, zanim pojawiły się dzieci. Dopiero potem zrobił się taki harmider. Mój brat urodził się przede mną.

Tata mówi też, że hałas w domu zaczął się, jak tylko Jonas stał się na tyle duży, żeby walić grzechotką w brzeg łóżka w niedzielne ranki, kiedy tatuś chciał jeszcze pospać. A potem Jonas hałasował coraz to bardziej i bardziej, i bardziej.

Później urodziłam się ja, a potem Lotta. Mieszkamy w żółtym domu przy małej uliczce, która nazywa się ulicą Garncarzy.

— Może kiedyś, dawno temu, mieszkali tu ludzie, którzy robili garnki, ale teraz mieszkają tu tacy, co robią tylko awantury — mówi tatuś.

— Myślę, że będziemy musieli zmienić nazwę na ulicę Awanturników.

Lotta złości się, że nie jest tak duża jak Jonas i ja. Jonas i ja możemy zupełnie sami chodzić aż na rynek, a Lotta nie. Jonas i ja chodzimy na rynek co sobotę i kupujemy cukierki od starych przekupek. Ale musimy przynieść też cukierki dla Lotty.

Raz w sobotę padało tak bardzo, że już myśleliśmy, że nie pójdziemy na rynek po zakupy.

Ale wzięliśmy duży parasol tatusia i poszliśmy
i kupiliśmy czerwonych cukierków. Kiedy wracaliśmy do domu pod parasolem, jedliśmy cukierki i to było bardzo przyjemne. Lotta jednak
nie mogła ani na chwilę wyjść na dwór, bo tak
bardzo padało.

— Po co pada deszcz? — spytała Lotta.

— Żeby wyrosło żyto i kartofle, to będziemy
mieli co jeść — odpowiedziała mamusia.

— A po co pada na rynku? — spytał Jonas. — Żeby wyrosły cukierki?

Mama tylko się roześmiała.

Kiedy położyliśmy się wieczorem do łóżek, Jonas powiedział do mnie:

— Wiesz, Mia, kiedy pojedziemy do dziadków na wieś, nie będziemy sadzić marchewek na naszej grządce, tylko cukierki. Są dużo lepsze.

— Tak, chociaż marchewka jest dużo zdrowsza na zęby — powiedziałam. — I możemy podlewać je moją zieloną konewką. Mam na myśli cukierki.

Byłam bardzo zadowolona, kiedy przypomniałam sobie moją małą zieloną konewkę, którą mam u dziadków na wsi. Stoi na półce w piwnicy.

Zawsze, kiedy jest lato, jedziemy do dziadków.

Czy zgadniecie, co zrobiła raz Lotta na wsi u dziadków? Za oborą jest duża kupa gnoju, który dziadek Johansson rozrzuca po polach, żeby wszystko dobrze rosło.

— Po co jest gnój? — zapytała Lotta.

Wtedy tatuś powiedział, że jeśli się podsypie gnoju, to wszystko dobrze rośnie.

— I musi też padać deszcz — dodała Lotta, bo pamiętała to, co mama powiedziała w tamtą sobotę, kiedy tak strasznie padało.

— Słusznie — powiedział tatuś.

Po południu zaczął padać gęsty deszcz.

— Czy któreś z was widziało Lottę? — zapytał tatuś.

Ale my od dłuższej chwili nie widzieliśmy Lotty, więc wszyscy zaczęliśmy jej szukać.

Najpierw szukaliśmy wszędzie w całym domu, we wszystkich garderobach, jednak Lotty nigdzie nie było. I tatuś stał się niespokojny, bo obiecał mamie uważać na Lottę.

W końcu wyszliśmy na dwór i szukaliśmy, Jonas, tatuś i ja. W oborze i w stodole, i wszędzie.

A potem poszliśmy za oborę i, wyobraźcie sobie, stała tam Lotta. W strugach deszczu, na samym środku kupy gnoju, zupełnie przemoknięta.

— Och, kochana, malutka Lotto, dlaczego tu stoisz? — zapytał tatuś.

Wtedy Lotta się rozpłakała.

— Żeby urosnąć i być taka duża jak Jonas i Mia.

Oj, jaka ta Lotta jest dziecinna!

Bawimy się całe dnie

Jonas i ja bawimy się i bawimy, i bawimy przez całe dnie. Lotcie też wolno być z nami, gdy bawimy się w coś takiego, że możemy bawić się razem z nią. Ale czasami bawimy się w piratów, a wtedy nam przeszkadza. Bo tylko spada ze stołu, który jest naszym statkiem. Ale mimo to krzyczy i chce bawić się z nami.

Parę dni temu bawiliśmy się w piratów i Lotta nie dawała nam spokoju. Wtedy Jonas powiedział:

— A wiesz, co s i ę r o b i, kiedy się zostaje piratem, Lotta?

— Stoi się na stole i podskakuje, i jest się piratem — odpowiedziała Lotta.

— Tak, ale jest też inny sposób, o wiele lepszy — powiedział Jonas. — Leży się na podłodze pod łóżkiem zupełnie cicho...

— Dlaczego? — spytała Lotta.

— Bo leży się tam i jest się piratem, i cały czas mówi się zupełnie cicho: „Więcej jedzenia, więcej jedzenia, więcej jedzenia". Tak właśnie robią piraci — wyjaśnił Jonas.

W końcu Lotta pomyślała, że piraci naprawdę tak robią, wlazła pod swoje łóżko i zaczęła powtarzać:

— Więcej jedzenia, więcej jedzenia, więcej jedzenia.

A Jonas i ja wdrapaliśmy się na stół w pokoju dziecinnym i żeglowaliśmy po morzach, tak na niby, oczywiście.

Lotta cały czas leżała pod swoim łóżkiem i powtarzała: „Więcej jedzenia", a my uważaliśmy, że nawet przyjemniej jest patrzeć na nią, niż być piratem.

— Jak długo piraci leżą pod łóżkami i mówią: „Więcej jedzenia"? — zapytała w końcu Lotta.

— Do Wigilii — odparł Jonas.

Wtedy Lotta wylazła spod łóżka i oznajmiła:

— Nie chcę być piratem, bo oni są głupi.

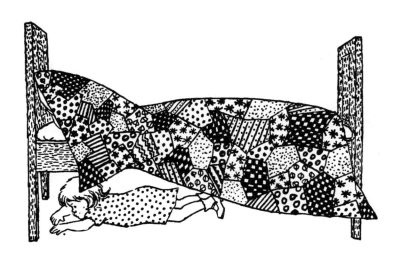

Ale czasami, kiedy się bawimy, dobrze jest mieć Lottę. Czasami bawimy się, że jesteśmy aniołami, Jonas i ja. Jesteśmy aniołami stróżami, więc musimy mieć kogoś, kogo można strzec, i wtedy strzeżemy Lotty. Leży w swoim łóżeczku, a my stoimy obok, wymachujemy rękami i udajemy, że to są skrzydła, którymi trzepoczemy i latamy tam i z powrotem. Ale Lotty wcale nie uważa, żeby to była przyjemna zabawa, bo ona tylko może leżeć spokojnie. I jeśli

się zastanowić, dla niej jest tak samo, jak gdy bawi się w piratów, tyle że wtedy leży p o d łóżkiem i mówi: „Więcej jedzenia". Poza tym jest podobnie.

Bawimy się także w szpital. Jonas jest doktorem, ja pielęgniarką, a Lotta chorym dzieckiem, które leży w swym łóżeczku.

— Ja n i e chcę leżeć w łóżku — powiedziała Lotta, kiedyśmy ostatnio chcieli, żeby była chorym dzieckiem. — Chcę być doktorem i wkładać Mii łyżeczkę do gardła.

— Nie możesz być doktorem, bo nie potrafisz pisać recepty — powiedział Jonas.

— Czego nie potrafię pisać? — spytała Lotta.

— Recepty, tego, co doktor pisze. Jak trzeba leczyć chore dziecko, chyba wiesz? — odparł Jonas.

Jonas umie pisać drukowanymi literami, mimo że jeszcze nie chodzi do szkoły. Czytać też umie.

W końcu udało się nam położyć Lottę do łóżka jako chore dziecko, chociaż nie chciała.

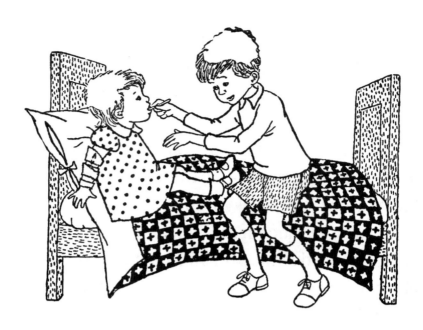

— No, jak się czujemy? — spytał Jonas, zupełnie tak samo jak wujek doktor, który przychodzi do nas, gdy mamy odrę i jesteśmy chorzy.

— Więcej jedzenia, więcej jedzenia, więcej jedzenia — powiedziała Lotta. — Bawię się, że jestem piratem — dodała.

— Och, jakaś ty głupia! — krzyknął Jonas. — Przestań, nie możesz bawić się z nami, jeśli jesteś taka głupia!

Wtedy Lotta stała się chorym dzieckiem i zrobiliśmy jej okład na rękę, a Jonas przykładał jej

do piersi dużą szpulkę od nici i przez tę szpulkę słyszał, że ona jest bardzo chora na płu-
ca. I włożył jej łyżeczkę do gardła i zobaczył, że
tam też jest chora.

— Muszę zrobić jej zastrzyk — powiedział
Jonas. Bo kiedy raz Jonas był chory, doktor
zrobił mu zastrzyk w rękę, żeby znowu był
zdrowy. Dlatego teraz Jonas chciał Lotcie zrobić zastrzyk. Wziął więc igłę do cerowania, bo
udawaliśmy, że to strzykawka, taka, jaką ma-
ją doktorzy.

Ale Lotta nie chciała żadnego zastrzyku.
Wierzgała nogami i krzyczała:

— Nie w o l n o wam robić mi zastrzyku!

— Och, ty ośle, my tylko u d a j e m y — powiedział Jonas. — Przecież nie ukłuję cię naprawdę, rozumiesz chyba?

— Ale ja i tak nie chcę żadnego zastrzyku! —
krzyczała Lotta.

Tak więc nie mogliśmy się już bawić w szpital.

— A ja i tak wypiszę lekarstwo — powiedział
Jonas.

Usiadł przy stole i niebieską kredką pisał na kartce. Pisał drukowanymi literami, ale ja nie umiałam tego przeczytać.

Jonas i ja uważamy, że przyjemnie jest bawić się w szpital. Ale Lotta tak nie uważa.

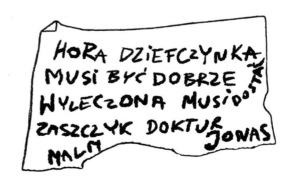

Lotta jest uparta jak stary kozioł

Nasz tatuś jest wesoły. Kiedy wraca z biura do domu, stoimy w przedpokoju i witamy go, Jonas, ja i Lotta. A tatuś śmieje się i mówi:

— O, jak ja mam dużo dzieci!

Raz schowaliśmy się za ubraniami w przedpokoju i staliśmy bardzo, bardzo cichutko, a wtedy tatuś powiedział do mamusi:

— Dlaczego nikt nie hałasuje w domu? Czy dzieci chore?

Wtedy wybiegliśmy zza ubrań i śmialiśmy się z tatusia, który powiedział:

— Nie wolno wam tak mnie straszyć. Kiedy wracam do domu, ma być hałas i harmider, inaczej robię się niespokojny.

Ale najczęściej tatuś nie musi być niespokojny.

Pewnego razu dwa samochody ciężarowe zderzyły się na ulicy tuż przed naszym domem i rozległ się tak straszliwy łoskot, że Lotta, która właśnie przed chwilą zasnęła, obudziła się.

I zaraz spytała:

— Co znowu zrobił Jonas?

Lotta najwyraźniej uważa, że cały hałas i harmider na tym świecie robi właśnie Jonas.

Lotta jest taka słodka i ma takie tłuste nóżki. Jonas i ja często całujemy ją i obejmujemy, ale ona tego wcale nie chce. Bardzo dużo jest tego, czego Lotta nie chce.

Nie chce wziąć lekarstwa, chociaż musi, bo jest chora.

W zeszłym tygodniu Lotta kaszlała i mama chciała, żeby wzięła lekarstwo na kaszel. Ale Lotta zaciskała buzię i kręciła głową.

— Ty jesteś trochę głupia, Lotta — powiedział Jonas.

— Ja nie jestem trochę głupia — odpowiedziała Lotta.

— Jesteś, bo nie chcesz wziąć lekarstwa na kaszel — odrzekł Jonas. — Jeśli j a muszę wziąć lekarstwo, to p o s t a n a w i a m sobie, że wezmę, i biorę.

Wtedy Lotta powiedziała:

— Jeśli j a muszę wziąć lekarstwo, to postanawiam sobie, że nie wezmę, i nie biorę.

Potem znowu zacisnęła buzię i pokręciła głową. Mama pogłaskała ją i powiedziała:

— W takim razie możesz sobie tu leżeć i kasłać, biedna, mała Lotto!

— Tak, i nie spać ani chwilki — powiedziała zadowolona Lotta.

Lotta wieczorami nie chce kłaść się spać i ja też tego wcale nie chcę. Uważam, że mamusia jest trochę dziwna, bo chce, żebyśmy się kładli wieczorami, kiedy w ogóle nam się nie chce spać, a rano, kiedy śpimy, chce, żebyśmy wstawali.

W każdym razie byłoby lepiej, gdyby Lotta wzięła lekarstwo, bo dzień później jeszcze bardziej kasłała i była zasmarkana i mamusia powiedziała, że nie wolno jej wychodzić na dwór. Ja miałam załatwić sprawunki w sklepie pasmanteryjnym. Kiedy stałam w sklepie i czekałam na swoją kolej, przez drzwi wepchnęła się Lotta cała zasmarkana.

— Idź do domu — powiedziałam.

— Na pewno nie — odpowiedziała Lotta. — Też chcę być w sklepie z szyciem.

Pociągała nosem i pociągała, aż w końcu jedna ciocia w sklepie zapytała ją:

— Czy nie masz chusteczki do nosa?

— Mam — odpowiedziała Lotta. — Ale nie pożyczę jej komuś, kogo nie znam.

Opowiem jeszczę coś o Lotcie. Raz mamusia wzięła nas do dentysty, Jonasa, mnie i Lottę.

Zobaczyła u Lotty małą dziurkę w zębie, więc trzeba było iść do dentysty, by ją zaplombował.

— Jeśli będziesz naprawdę dzielna u pana doktora, dostaniesz koronę — powiedziała mamusia do Lotty.

Kiedy my byliśmy u dentysty, mamusia musiała posiedzieć w poczekalni. Najpierw doktor obejrzał moje zęby, ale nie miałam żadnej dziury, więc wróciłam do mamusi.

Siedziałyśmy tam i bardzo długo czekałyśmy na Jonasa i Lottę. Mamusia powiedziała:

— Popatrz, Lotta nie krzyczy!

Po chwili drzwi otworzyły się i wyszła Lotta.

— Byłaś naprawdę dzielna — pochwaliła ją mamusia.

— No — powiedziała Lotta.

— Co robił pan doktor? — zapytała mamusia.

— Wyciągnął ząb — odpowiedziała Lotta.

— A ty wcale nie krzyczałaś! O, jaka byłaś dzielna — pochwaliła ją mamusia.

— Nie, nie krzyczałam — odpowiedziała Lotta.

— Tak, słowo daję, byłaś naprawdę bardzo dzielną dziewczynką — powiedziała mamusia. — Tu masz koronę.

Lotta wzięła koronę, schowała ją do kieszonki i wyglądała na bardzo zadowoloną.

— Mogę zobaczyć, czy ci leci krew? — zapytałam.

Lotta otworzyła buzię, ale nie zauważyłam, żeby brakowało jej któregoś zęba.

— Przecież on nie wyciągnął ci żadnego zęba — powiedziałam.

— Wyciągnął... Jonasowi — odparła Lotta.

Potem wyszedł Jonas i pan doktor. Pan doktor wskazał na Lottę i powiedział:

— Tej panience nie mogłem nic zrobić, ponieważ nie chciała otworzyć buzi.

— Tego dziecka trzeba się wszędzie wstydzić — stwierdził Jonas, kiedy wracaliśmy do domu.

— Ja go nie znam — powiedziała Lotta. — Przecież nie mogę otwierać buzi przed ludźmi, których nie znam.

Tatuś powiedział, że Lotta jest uparta jak stary kozioł.

Ciocia Berg jest najmilsza
ze wszystkich

W domu obok nas mieszka ciocia Berg. Czasami chodzimy do niej w odwiedziny. Między jej ogrodem a naszym jest płot, ale umiemy przez niego przełazić, Jonas i ja. Lotta nie umie przez niego przełazić, ale pies cioci Berg w jednym miejscu pod płotem wygrzebał ziemię i zrobiła się dziura, przez którą Lotta może się przeczołgać.

Parę dni temu byliśmy u cioci Berg i było nam bardzo wesoło. Ciocia Berg ma sekretarzyk, w którym jest pełno małych szufladek, a w nich same śliczne rzeczy.

— Ciociu kochana, możemy obejrzeć twoje piękne rzeczy? — spytał Jonas.

Mogliśmy. Najpierw oglądaliśmy laleczkę, którą ciocia Berg bawiła się, kiedy była dzieckiem. Nazywa się Róża, to znaczy ta lalka.

Ciocia Berg jest bardzo, bardzo stara, ale w każdym razie nie tak stara, jak uważa Lotta. Raz Lotta spytała:

— Ciociu Berg, czy w arce Noego miałaś ze sobą Różę?

Ponieważ akurat poprzedniego wieczoru tatuś mówił nam o arce Noego. Opowiadał o tym, jak to staruszek Noe budował wielką łódź, którą nazwano arką. I potem przez wiele tygodni bardzo padało i wszyscy, którzy nie byli w arce Noego, potopili się, a działo się to wiele tysięcy lat temu.

Ciocia Berg roześmiała się i powiedziała:

— Wiesz, Lotto, ale ja przecież nie byłam w arce Noego.

— To dlaczego się nie utopiłaś? — spytała Lotta.

Róża leży w jednej z małych szufladek sekretarzyka, która jest jej łóżeczkiem. Leży na różowej wacie i kawałek zielonego jedwabiu służy jej

za kołderkę, a ubrana jest w niebieską sukienkę. I wyobraźcie sobie, w innej szufladce ciocia Berg ma mały, malutki koszyczek z różowymi różyczkami, cały ze szkła. Pozwoliła nam wziąć Różę, której włożyliśmy na rączkę koszyczek, i bawiliśmy się, że jest Czerwonym Kapturkiem i właśnie idzie do swej babci z jedzeniem i butelką soku. W miseczce stojącej na pianinie ciocia Berg trzyma czekoladki. Niektóre wyglądają jak małe buteleczki owinięte w cynfolię. Jedną taką buteleczkę włożyliśmy do koszyczka Czerwonego Kapturka i trochę rodzynków i migdałów, które dostaliśmy od cioci. A pies cioci Berg, Skotty, był wilkiem, ja byłam babcią, a Jonas myśliwym, który przyszedł zastrzelić wilka.

— A ja? — spytała Lotta. — Czy ja nie mogę c z y m ś być?

Ale Lotta nosiła Różę i mówiła to, co miał powiedzieć Czerwony Kapturek; przecież Róża nie mogła mówić. Kiedy jednak Czerwony Kapturek przyszedł do domku babci, który znajdował się w saloniku cioci Berg, w szklanym

koszyczku nie było już ani rodzynków, ani migdałów.

— Gdzie jest jedzenie dla babci? — spytał Jonas.

— Róża je zjadła — odparła Lotta.

Wtedy Jonas powiedział, że nie chce bawić się z Lottą w Czerwonego Kapturka.

I Skotty też nie chciał się bawić i udawać, że zjada babcię. Jonas go przytrzymywał, ale on wyrywał się i wyrywał, aż w końcu mu się to udało, i wlazł pod sofę, i tylko od czasu do czasu wysuwał nos i spoglądał na nas złym okiem. Skotty raczej nie lubi, kiedy przychodzimy do cioci Berg.

Ale było nam i tak bardzo wesoło i oglądaliśmy inne wspaniałe rzeczy w sekretarzyku cioci Berg. Jest tam też milutka poduszeczka do igieł z czerwonego jedwabiu, która wygląda jak serce, i malutki obrazek w złotej ramce, a na nim piękny anioł z długimi jasnymi włosami, w białej nocnej koszuli i dużymi białymi skrzydłami u ramion. Lotta bardzo lubi ten obrazek i ja też bardzo go lubię.

— A jak ten anioł nakłada nocną koszulę przez skrzydła? — spytała Lotta.

Wtedy Jonas powiedział, że może z tyłu koszuli jest zamek błyskawiczny.

Ciocia Berg upiekła dla nas wafli. Piecze je czasami, kiedy przychodzimy do niej w odwiedziny, ale nie zawsze.

— Jest tak piękna wiosenna pogoda, że możemy usiąść w ogrodzie i tam wypić czekoladę i zjeść wafle — powiedziała ciocia Berg.

Podczas gdy ciocia Berg piekła w kuchni wafle, zostaliśmy w saloniku sami i bawiliśmy się.

W pokoju tym są dwa okna, które akurat były otwarte, ponieważ było tak ciepło. Jonas i ja wytknęliśmy głowy, każde przez swoje okno, i Jonas rzucał mi szklaną kulkę do gry, którą nosi w kieszeni spodenek. A ja mu odrzucałam i tak rzucaliśmy ją tam i z powrotem. Ale w końcu upuściłam kulkę i spadła gdzieś w trawę.

Potem Jonas i ja zaczęliśmy wychylać się przez okna. Chodziło o to, kto z nas wychyli się najbardziej. Wychylaliśmy się i wychylali, i nagle Jonas wypadł. Okropnie się przestraszyłam. I ciocia Berg też się przestraszyła. Weszła do pokoju w chwili, kiedy Jonas wypadał.

Podbiegła do okna i krzyknęła:

— Ojej, Jonas! Jak to się stało?

Jonas siedział na trawniku, a na czole miał wielkiego guza.

— Mia i ja chcieliśmy zobaczyć, kto może bardziej wychylić się przez okno, i ja wygrałem — odparł Jonas.

Ale podczas gdy Jonas i ja wychylaliśmy się, Lotta znalazła leżącą na sofie robotę na drutach cioci Berg. Ciocia Berg robi na drutach swetry i kamizelki, które ludzie mogą od niej kupić. I pomyślcie, głupia Lotta wyciągnęła druty i spruła całą robotę cioci Berg.

Siedziała na sofie całkiem oplątana wełną, którą szarpała i rwała. Ciocia Berg krzyknęła:

— Och, coś ty zrobiła, Lotto?

— Sweter — odpowiedziała Lotta. — Wełna zrobiła się w loczki — dodała.

Wtedy ciocia Berg powiedziała, że chyba najlepiej będzie, jak pójdziemy do ogrodu i zjemy wafle, a potem chyba najlepiej będzie, jak pójdziemy do domu.

Siedzieliśmy w ogrodzie cioci Berg i piliśmy czekoladę i jedliśmy wafle posypane cukrem. Na słońcu było bardzo miło, małe wróbelki podskakiwały dookoła nas i sypaliśmy im okruszki. Ale potem ciocia Berg była już zmęczona i powiedziała, że musimy iść do domu. Więc przeleźliśmy przez płot, Jonas i ja, a Lotta przeczołgała się przez dziurę. W domu zaraz poszliśmy do kuchni, żeby zobaczyć, co dziś dostaniemy na obiad.

— Okonie duszone w sosie — wesoło oznajmiła mamusia.

Wtedy Jonas powiedział:

— Jak to dobrze, że mamy w brzuchach tyle wafli.

— Aha, byliście u cioci Berg — domyśliła się mamusia. — Ucieszyła się?

— No jasne — odparł Jonas. — Ucieszyła się dwa razy. Najpierw, kiedy przyszliśmy, a potem ucieszyła się, kiedy wychodziliśmy.

Ciocia Berg jest najmilsza ze wszystkich.

Urządzamy wycieczkę

Pewnego dnia tatuś powiedział:

— W niedzielę wszyscy pojedziemy na wycieczkę!

— Hurra! — zawołaliśmy Jonas i ja.

— Hurra, że pojedziemy na wycieczkę — powiedziała Lotta.

W niedzielę mamusia wstała wcześnie i usmażyła naleśniki, i zrobiła kanapki, i przygotowała termosy z czekoladą, a dla siebie i tatusia z kawą. Wzięliśmy jeszcze ze sobą lemoniadę.

Kiedy tatuś podjechał samochodem, powiedział do nas:

— Teraz zobaczymy, czy zdołamy wszyscy razem zmieścić się w tym graciku. Zaraz zobaczymy, czy uda mi się upchnąć mamę i Jonasa, i Mię, i małą Lottę, i dwadzieścia sześć naleśników, i sam już nie wiem, ile kanapek...

— I Niśka — dodała Lotta.

Nisiek to jest taka duża, różowa świnka z materiału, którą Lotta wszędzie ze sobą zabiera. Lotta uważa, że to jest miś, dlatego nazywa go Niśkiem.

— Ale to jest świnka i zawsze nią była — mówi Jonas.

Wtedy Lotta krzyczy, że to jest miś.

— Misie nie są przecież różowe — mówi Jonas. — Twoim zdaniem to jest niedźwiedź polarny czy zwykły?

— To jest niedźwiedź świnkowy — odpowiedziała Lotta.

Lotta otrzymała pozwolenie, by wziąć na wycieczkę swego świnkowego niedźwiadka. Gdy siedzieliśmy w samochodzie, spytała:

— Mamo, czy świnki mogą mieć dzieci?

— Masz na myśli Niśka czy prawdziwe świnki, takie jak są u dziadków na wsi? — zapytała mamusia.

Wtedy Lotta wyjaśniła, że miała na myśli prawdziwe żywe świnki, a nie takie misie jak Nisiek. Mamusia powiedziała, że, oczywiście, prawdziwe świnki mogą mieć dzieci.

— Na pewno nie mogą — sprzeciwił się zaraz Jonas.

— Naturalnie, że mogą — powiedziała na to mamusia.

— Nie, nie mogą mieć dzieci — upierał się Jonas. — Mogą mieć tylko małe świnki.

Wtedy wszyscy roześmieliśmy się, a tatuś stwierdził, że nigdzie nie ma tak bystrych dzieci jak na ulicy Awanturników.

Pojechaliśmy nad małe jeziorko. Tatuś posta-
wił samochód na leśnej dróżce. Torbę z jedzeniem zanieśliśmy na brzeg. Był tam długi pomost,
który wcinał się daleko w jeziorko, i Jonas i ja,
i Lotta chcieliśmy od razu iść na pomost zobaczyć, czy są jakieś ryby w jeziorku.

Mamusia natychmiast położyła się na trawie i powiedziała do tatusia:

— Będę tu leżeć i nie ruszę się przez cały dzień, a ty uważaj na dzieci!

Tatuś poszedł z nami na pomost. Położyliśmy się na brzuchach i widzieliśmy pełno małych, malutkich rybek, które pływały bardzo szybko. I tatuś zrobił nam wędki z długich kijów, które wyciął w lesie, i przywiązał do nich sznurki, a jako haczyki doczepił szpilki. Na te haczyki nadziewaliśmy okruszki chleba. Siedzieliśmy tam dosyć długo, ale niczego nie złowiliśmy.

Wtedy podnieśliśmy się i poszliśmy do lasu, chociaż mama mówiła, że nie wolno nam iść za daleko.

Zobaczyliśmy małego ptaszka, który wleciał między krzaki, a potem wyleciał. Poszliśmy tam popatrzeć i wśród gałęzi, tuż nad samą ziemią, zobaczyliśmy gniazdko, a w nim cztery malutkie niebieskie jajeczka. Były to najśliczniejsze jajeczka, jakie widziałam w życiu! Lotta chciała zostać tu i cały czas patrzeć na gniazdko,

podniosła nawet Niśka, żeby on też mógł popatrzeć. Ale Jonas i ja wiedzieliśmy, że tuż obok jest drzewo świetne do włażenia i chcieliśmy na nie wleźć, więc Lotta musiała iść z nami, chociaż wcale nie chciała.

Ja potrafię wdrapywać się na drzewa i Jonas też. Ale Lotta nie. Troszeczkę pomogliśmy jej wleźć, ale zaczęła krzyczeć:

— Puśćcie mnie na dół! Puśćcie mnie na dół!

A gdy znalazła się na ziemi, spojrzała ze złością na drzewo i powiedziała:

— To wariactwo włazić na takie drzewo!

Potem mamusia zawołała, że będziemy jeść, więc pognaliśmy nad jezioro. Mamusia rozłożyła na trawie plastikowy obrus, na nim postawiła szklankę pełną pierwiosnków i wyłożyła kanapki i naleśniki, i wszystko, co miała.

Siedzieliśmy na trawie i jedliśmy. To dużo przyjemniej niż siedzieć przy stole.

Naleśniki były bardzo smaczne, bo jedliśmy je z konfiturami i na dodatek posypane cukrem. Kanapki też były smaczne. Najbardziej lubię te

z klopsikami, a Jonas najbardziej lubi te z jajkiem i kawiorem, więc zamieniliśmy się i on dostał moją z kawiorem, a ja jego z klopsikami. Lotta najbardziej lubi wszystkie kanapki, więc nie chce z nikim się zamieniać. Lotta dużo je. Tylko raz, kiedy była chora, nie miała ochoty na jedzenie. Mamusia była bardzo zmartwiona, że Lotta nie ma apetytu. Wtedy Lotta w czasie swojej modlitwy wieczornej powiedziała:

— Kochany, dobry Boże, spraw, żebym znów chciała jeść. Ale nie klopsiki z ryby!

Każde z nas dostało lemoniadę, Jonas i Lotta, i ja. Lotta wzięła trochę piasku z plaży i wsypała go do lemoniady, a gdy zapytaliśmy, dlaczego to zrobiła, odpowiedziała, że chciała sprawdzić, jak to smakuje.

Po jedzeniu tatuś wyciągnął się na trawie i powiedział:

— Jak cudownie jest poleżeć tak sobie na słońcu. Myślę, że zdrzemnę się chwilkę. Dzieci muszą same na siebie uważać. Ale pamiętajcie, że nie wolno wam wchodzić na pomost.

Nie weszliśmy na pomost. Ale trochę dalej przy samym jeziorze była dość wysoka skała i wdrapaliśmy się na nią. I Jonas powiedział, że pokaże nam, jak robi tatuś, kiedy chce dać nurka.

— Tak robi — powiedział Jonas, wyciągnął w górę ręce i wykonał niewielki skok. I wyobraźcie sobie, fajtnął prosto do jeziora, choć wcale nie zamierzał. A mamusia mówiła, że absolutnie nie wolno nam się jeszcze kąpać, bo woda jest za zimna.

Jonas topił się, więc Lotta i ja zaczęłyśmy krzyczeć ze wszystkich sił. Ale zaraz wzięłam gałąź, która leżała na skale, i kiedy Jonas wynurzył się, schwycił gałąź i trzymał się jej. A Lotta

zaczęła się śmiać. Wtedy nadbiegli tatuś i mamusia i tatuś wyciągnął Jonasa z wody.

— Jonas, co ty wyrabiasz? — spytała mamusia, kiedy Jonas wyszedł na brzeg całkowicie
mokry.

— On chciał tylko pokazać, jak robił tatuś —
powiedziała Lotta i strasznie się śmiała z Jonasa. — Bo jego spodnie wyglądają tak śmiesznie
— wyjaśniła.

Jonas zdjął ubranie i mamusia powiesiła je na drzewie, żeby wyschło. Ale gdy mieliśmy wracać do domu, ubranie jeszcze nie było suche i Jonas musiał owinąć się w koc. I z tego też Lotta się śmiała. Później już się nie śmiała. Bo kiedy chcieliśmy jechać, nie mogliśmy znaleźć Niśka. Szukaliśmy i szukali wszędzie, ale Nisiek zniknął i mamusia powiedziała, że musimy jechać do domu bez niego. Wtedy Lotta zaczęła krzyczeć o wiele głośniej, niż gdy Jonas spadł do jeziora.

— Niśkowi może być bardzo miło spędzić samemu noc w lesie — powiedział tatuś. — A jutro mogę tu przecież przyjechać i poszukać go. Na pewno go odnajdę.

Ale Lotta tylko krzyczała.

— Może przyjść stary troll i przestraszyć Niśka — powiedziała.

— Jeśli Nisiek spotka starego trolla, to bądź pewna, że troll przestraszy się bardziej — powiedział tatuś.

— Pamiętasz, kiedy miałaś Niśka ostatni raz? — spytała mamusia.

Lotta zastanowiła się.

— O dwunastej — powiedziała.

A przecież Lotta ani troszkę nie zna się na zegarku, więc to było kłamstwo. Tatuś mówi, że Lotta jest nieznośnym dzieckiem, które plecie, co mu ślina na język przyniesie.

Ale ja przypomniałam sobie, że Lotta miała Niśka, kiedy byliśmy przy ptasim gniazdku. Poszliśmy więc wszyscy do drzewa, na które właziliśmy, bo Jonas i ja wiedzieliśmy, że gniazdko było tuż obok.

I przy samym krzaku z gniazdkiem siedział Nisiek. Lotta przytuliła go, ucałowała w ryjek i powiedziała:

— Niśku kochany, cały czas patrzyłeś sobie na te śliczne, śliczniutkie, maleńkie jajeczka.

Jonas powiedział, że biedna ptasia mama pewnie przez cały dzień nie miała odwagi wrócić do swoich jajek, bo świnkowe niedźwiedzie są najlepszymi strachami na wróble, jakie istnieją na ziemi.

Wtedy Lotta powiedziała ze złością:

— Nisiek niczego nie ruszał, tylko siedział tam sobie i patrzył na te śliczne, śliczniutkie maleńkie jajeczka.

A gdy potem jechaliśmy do domu, cały czas Jonas siedział w kocu.

Wieczorem mamusia i tatuś jak zwykle przyszli do pokoju dziecinnego, żeby nam powiedzieć dobranoc. Tatuś stanął przy łóżeczku Lotty, która leżała obok swego brudnego Niśka.

— No, malutka Lotto — odezwał się tatuś. — Powiedz, kiedy było ci dziś najweselej? Pewnie wtedy, gdy odnaleźliśmy Niśka.

— Nie, najweselej było wtedy, kiedy Jonas wpadł do jeziora — odparła Lotta.

Jedziemy do dziadków

Gdy nadchodzi lato, jedziemy z mamusią do dziadków na wieś. Tatuś też tam przyjeżdża, gdy ma urlop. Jedziemy pociągiem, bo mamusia nie ma prawa jazdy.

— Macie być grzeczni w pociągu, żeby mamie nie sprawiać kłopotu — powiedział tatuś, gdy mieliśmy jechać ubiegłego lata.

— Mamy być grzeczni tylko w pociągu?

— Nie, wszędzie — odpowiedział tatuś.

— P o w i e d z i a ł e ś, że tylko w pociągu musimy być grzeczni — stwierdziła Lotta.

Ale wtedy pociąg ruszył, więc tatuś zdążył tylko jeszcze nam pomachać, a my pomachaliśmy jemu i krzyczeliśmy „do widzenia!".

Niewielki przedział mieliśmy prawie dla siebie. Siedział tam tylko jeden wujek, jedyny, dla

którego znalazło się miejsce. Lotta miała ze sobą swojego Niśka, a ja największą lalkę, która nazywa się Maud Yvonne Marlene.

Ten wujek miał na brodzie brodawkę i gdy wyszedł na chwilę postać sobie przy oknie na korytarzu, Lotta powiedziała do mamusi głośnym szeptem:

— Ten wujek ma brodawkę na brodzie...

— Ciii... — szepnęła mamusia. — Może przecież usłyszeć.

Lotta zdumiała się szczerze.

— To on nie wie o tym, że ma na brodzie brodawkę?

Potem przyszedł konduktor i dziurkował bilety. Tylko mamusia i Jonas mieli bilety, bo Lotta i ja jeszcze jeździmy bezpłatnie.

— Ile lat ma ta dziewczynka? — zapytał konduktor, wskazując na mnie.

Odpowiedziałam, że wkrótce skończę sześć.

Konduktor nie pytał, ile lat ma Lotta, bo sam widział, że ona jest tak mała, że nie potrzebuje biletu. Ale Lotta powiedziała:

— Ja mam cztery lata, a mama trzydzieści dwa. A to jest Nisiek.

Konduktor roześmiał się i powiedział, że właśnie w tym pociągu wszystkie Niśki jeżdżą bezpłatnie.

Z początku siedzieliśmy spokojnie i wyglądaliśmy przez okno, ale potem znudziło nas to. Jonas i ja wyszliśmy na korytarz i zajrzeliśmy do innego przedziału, i zaczęliśmy rozmawiać z jadącymi w nim ludźmi. Od czasu do czasu wracaliśmy do mamusi, żeby nie była niespokojna. Mamusia tymczasem opowiadała Lotcie bajki, jedną po drugiej, żeby Lotta siedziała spokojnie. Mamusia nie chciała, żeby Lotta wychodziła na korytarz, bo nigdy nie wiadomo, co jej strzeli do głowy.

— Opowiedz o kózkach i wilku, inaczej idę na korytarz — powiedziała Lotta.

Jedliśmy w przedziale kanapki i piliśmy lemoniadę. Nagle ni stąd, ni zowąd Lotta wyjęła ze swojej kanapki plasterek kiełbasy i przykleiła go do szyby.

Mamusia bardzo się zdenerwowała i spytała:

— Dlaczego smarujesz szybę kiełbasą?

— Bo przykleja się lepiej niż klopsiki — odpowiedziała Lotta.

Wtedy mamusia zdenerwowała się jeszcze bardziej. I musiała długo, długo wycierać okno serwetkami, zanim udało się oczyścić je zupełnie z tłuszczu po kiełbasie Lotty.

Raz, gdy pociąg stanął na stacji, Jonasowi przyszło do głowy, że on i ja moglibyśmy wyjść na chwilkę odetchnąć świeżym powietrzem. Nie mogliśmy otworzyć drzwi, ale pomogła nam jedna ciocia.

— Na pewno chcecie wysiąść na tej stacji? — spytała.

— Tak — odpowiedzieliśmy.

Bo chcieliśmy przecież wysiąść, choć chcieliśmy też wsiąść, rzecz jasna.

Gdy wysiedliśmy z pociągu, poszliśmy aż do ostatniego wagonu i akurat kiedy pociąg miał ruszać, wskoczyliśmy do niego. Żeby dojść do naszego przedziału, musieliśmy więc przejść przez cały pociąg. Gdyśmy przyszli, zobaczyliśmy mamusię i tę panią, która nam pomogła otworzyć drzwi. Rozmawiały z konduktorem i mamusia krzyczała:

— Pan musi zatrzymać pociąg, bo moje dzieci wysiadły!

W tym momencie nadeszliśmy i Jonas powiedział:

— Ale wsiedliśmy znowu.

Wtedy mamusia rozpłakała się, a konduktor i ta ciocia, która pomogła nam otworzyć drzwi,

nakrzyczeli na nas. Ale dlaczego ta ciocia na nas krzyczała, skoro sama pomogła nam otworzyć drzwi?

— Teraz pójdziecie do przedziału do Lotty i nie ruszycie się z miejsca — powiedziała mamusia.

Ale Lotty w przedziale nie było. Zniknęła. Wtedy mamusia znów była bliska płaczu. Ruszyliśmy wszyscy na poszukiwanie Lotty. W końcu znaleźliśmy ją kilka przedziałów dalej. Właśnie opowiadała coś siedzącym tam ludziom. I usłyszeliśmy, że mówi:

— W naszym przedziale jest jeden wujek, który ma brodawkę na twarzy, ale wcale o tym nie wie.

Wtedy mamusia chwyciła ją mocno za rękę i przyprowadziła do naszego przedziału. I potem musieliśmy już siedzieć naprawdę bardzo, bardzo cicho, bo mamusia była na nas zła i powiedziała, że o wiele łatwiej upilnować stado rozszalałych cieląt niż nas.

W tej samej chwili pomyślałam, że już niedługo zobaczę cielaczki u dziadków. I zrobiło mi się bardzo przyjemnie.

Babcia i dziadek stali na werandzie, żeby nas przywitać.

A ich pies, który wabi się Lukas, szczekał i skakał, i całe podwórze pachniało latem.

— Czy to przyjechały moje słoneczka? — spytała babcia.

— Aha, piękne słoneczka — odparła mamusia.

— Jutro będziecie mogli pojeździć na Bułanku — powiedział dziadek.

— Chodźcie ze mną do stodoły, to zobaczycie kociaczki Mruczki — zaproponowała babcia.

Lotta pociągnęła babcię za fartuch i spytała:

— Babciu, masz jeszcze trochę cukierków w szafie?

— Tak, możliwe — odpowiedziała babcia. — Kilka małych cukierków może mam w szafie.

Wtedy poczułam, że naprawdę przyjechaliśmy do dziadków.

Lotta mówi prawie przekleństwa

U dziadków jest bardzo wiele przyjemnych miejsc. Wyobraźcie sobie, na dużym drzewie w ogrodzie jest coś takiego jak weranda. Wysoko na drzewie! Prowadzą do niej schodki. Stoi tam stół z ławkami, a dookoła jest płotek, żeby nie spaść.

Babcia nazywa tę werandę Zieloną Altaną.

Ze wszystkich miejsc, w których się jada, najbardziej lubię takie, co się mieszczą wysoko na drzewach.

Zaraz następnego dnia po przyjeździe do dziadków, jak tylko zbudziliśmy się, Jonas spytał:

— Babciu, możemy chyba ustalić, że będziemy jadać tylko w Zielonej Altanie?

— Ojojoj! — powiedziała babcia. — A jak myślisz, co powie Majka, jeśli będzie zmuszona, i to trzy razy dziennie, targać jedzenie po tych chwiejnych schodkach?

— Nic nie powiem — odparła Majka.

Majka jest u babci dziewczyną do pomocy. Jest bardzo miła, choć wcale nie lubi jadać na drzewie.

— Ale, babciu, my sami chyba możemy zabierać sobie jedzenie do Zielonej Altany — powiedziałam.

— Bo inaczej będziemy bardzo źli — stwierdziła Lotta.

Lotta jest trochę głupia.

Wtedy babcia powiedziała, że nie chce, żeby Lotta była zła, i dlatego będziemy mogli wziąć ze sobą naleśniki do Zielonej Altany.

Babcia usmażyła masę naleśników i ułożyła je w koszu, i dołożyła jeszcze torebkę z cukrem, i mały słoik konfitur, i talerzyki, i widelce, i butelkę mleka, i trzy blaszane kubki.

A potem wleźliśmy do Zielonej Altany. Pierwszy wchodził Jonas z koszem, potem ja, a potem Lotta.

— Jeśli upuścisz kosz, Jonas, to pewnie będę się bardzo, bardzo śmiać — powiedziała Lotta.

Ale Jonas nie upuścił kosza, i ustawiliśmy wszystko na stole na drzewie, i siedzieliśmy na ławkach, i jedli naleśniki i bardzo dużo konfitur i cukru, i piliśmy mleko, a drzewo przez cały czas szumiało. Naleśników było tak dużo, że Lotta nie dała rady zjeść wszystkich przeznaczonych dla niej.

I wyobraźcie sobie, rozwiesiła naleśniki na gałęziach drzewa!

— Bawię się, że to są liście — wyjaśniła.

Naleśniki kołysały się tam i z powrotem i wyglądały prawie jak liście.

— Uważaj, niech tylko mamusia się o tym dowie.

Ale Lotta nie przejmowała się tym, co powiedziałam. Siedziała i patrzyła na swoje naleśniki, i śpiewała piosenkę, którą zwykle śpiewa tatuś, a która zaczyna się tak: Hej, jak szeleszczą te liście!

Wkrótce Lotta poczuła się znowu głodna, więc nadgryzła wszystkie naleśniki, tak że na drzewie wisiały już tylko ich połówki.

— Bawię się, że jestem małą owieczką, która w lesie zjada liście — powiedziała.

Nagle nadleciał ptaszek i Lotta odezwała się do niego:

— Tobie wolno jeść moje naleśniki, ale Jonasowi i Mii nie.

Ptaszek jednak wcale nie chciał naleśników. Ale Jonas i ja czuliśmy, że jesteśmy coraz bardziej głodni. Wyciągnęłam rękę do Lotty i powiedziałam:

— Dobry panie, miej nade mną zlitowanie!

I Lotta dała mi naleśnik, który nadgryzła, a ja posypałam go cukrem, nałożyłam konfitur i zjadłam. Bardzo mi smakowało, choć było to tylko pół naleśnika. Jonas także dostał od Lotty naleśniki, kiedy powiedział: „Dobry panie,

miej nade mną zlitowanie", bo Lotta lubi, jak
coś jest trochę śmieszne. W końcu zjedliśmy
wszystkie naleśniki, a wtedy Lotta powiedziała:

— Naleśnikowe liście się skończyły. Teraz
możecie jeść te zielone!

Narwała garść zielonych liści i chciała, żebyśmy je zjedli. Ale Jonas i ja powiedzieliśmy, że jesteśmy już najedzeni.

— Z cukrem i konfiturą to się da zjeść — powiedziała Lotta.

Posypała zielony liść cukrem, nałożyła sporo konfitur i zjadła go.

— Uważaj, czy na liściu nie siedzi przypadkiem robak — powiedział Jonas.

— Niech sobie robak sam uważa — odparła Lotta.

To dziecko ma masę pomysłów, mówi babcia. Wyobraźcie sobie, następnego dnia, to była niedziela, mieliśmy na obiad śledzia, a po klopsikach z ryby to dla Lotty najgorsze, co może być. Pogoda była bardzo piękna, a gdy jest tak pięknie, babcia i dziadek jedzą w ogrodzie przy stole, który stoi pod największym drzewem. Siedzieliśmy wokół stołu wszyscy, babcia, dziadek, mamusia, Jonas i ja, ale Lotta ciągle bawiła się z kotkiem i nie przychodziła, chociaż mamusia wołała ją już wiele razy.

W końcu przyszła, a gdy zobaczyła, że jest śledź, powiedziała:

— Śledź w niedzielę... fuj, faraon!

Wtedy mamusia zdenerwowała się na nią, bo tysiąc razy powtarzała Lotcie, że nie wolno jej mówić „fuj, faraon", bo to jest prawie przekleństwo. I mamusia powiedziała, że jeśli Lotta powie „fuj, faraon" jeszcze jeden raz, to nie będzie mogła pozostać u dziadków, tylko musi wrócić do domu do miasta.

Ponieważ Lotta znów tak powiedziała, mamusia nie pozwoliła jej usiąść z nami przy stole i jeść. Wtedy Lotta zaczęła chodzić dookoła ogrodu i krzyczeć.

I tak przez cały czas, kiedy jedliśmy.

Potem musiała siedzieć sama przy stole i jeść, ale w dalszym ciągu tylko krzyczała. Mamusia powiedziała, że Jonas i ja mamy iść się bawić, a Lotta zostanie sama, dopóki nie będzie grzeczna. Ale my staliśmy za węgłem domu i zerkaliśmy na Lottę, która wciąż tylko krzyczała i krzyczała. W końcu ucichła, ale tylko dlatego, że znów wpadł jej do głowy jeden z jej dziwnych pomysłów.

Wzięła śledzia, który leżał na jej talerzu, podeszła z nim do beczki na wodę stojącej pod rynną i zanurzyła w niej śledzia.

Akurat w tym momencie zobaczyła to mamusia, a wtedy Lotta powiedziała:

— On chyba może sobie trochę popływać, faraon!

— Lotta, czy pamiętasz, co powiedziałam? — spytała mamusia.

Wtedy Lotta skinęła główką twierdząco i poszła do domu. Po krótkiej chwili wyszła znowu, ściskając w rączce swoją małą walizeczkę, z której zwisała szarfa, i kiedy Lotta szła, ta szarfa wlokła się za nią po ziemi. Mamusia i babcia, i dziadek, i Jonas, i ja patrzyliśmy, jak Lotta odjeżdża. Podeszła do babci i dziadka, dygnęła i powiedziała:

— Jadę do domu do tatusia, bo jest o wiele lepszy od mamy.

Nie powiedziała do widzenia ani mamusi, ani Jonasowi, ani mnie. Staliśmy i patrzyli, jak idzie z wlokącą się za nią szarfą.

Ale gdy doszła do furtki, zatrzymała się. Długą chwilę stała w zupełnym milczeniu. Wtedy mamusia dogoniła ją i powiedziała:

— No, kochana Lotto, może nie chcesz jechać?

A Lotta odparła:

— Chcę, ale, mamusiu, nie mogę przecież, faraon, jechać sama pociągiem!

Wtedy mamusia podniosła Lottę i powiedziała, że chyba najlepiej będzie, jak zostanie tutaj,

bo wszystkim będzie bardzo smutno, jeśli sobie pojedzie. I Lotta uwiesiła się mamusi na szyi i strasznie płakała, i nie chciała w ogóle mówić ani z Jonasem, ani ze mną, chociaż chcieliśmy ją pocieszyć i ucałować.

A wieczorem, gdy już byliśmy w łóżkach, babcia siedziała w naszym pokoju i opowiadała nam biblijne historie, i pokazywała obrazki w swojej pięknej Biblii. Był tam obrazek przedstawiający jednego człowieka, który miał na imię Józef, i babcia powiedziała, że Józef dostał piękny pierścień od faraona w Egipcie.

Wtedy Lotta powiedziała:

— Aja, baja, babciu, coś ty teraz powiedziała?

Ale sama Lotta prawie nigdy nie mówi już słowa „faraon".

Lotta ma echowy dzień

Chyba najciekawszy u dziadków jest domek do zabawy, który miały mamusia i ciocia Kajsa, kiedy były małe.

Jest czerwony i stoi w rogu ogrodu, a prowadzi do niego wąziutka dróżka. Przed domkiem

jest trawnik usiany stokrotkami. Wewnątrz domku znajdują się białe mebelki, stół i krzesła, i szafka.

W szafce jest serwis dla lalek i malutka patelenka, i malutkie żelazko dla lalek, i mała karafka ze szklaneczkami do soku.

W domku do zabawy mieszkają lalki mamy i cioci Kajsy. I jest tam też taboret, który miała b a b c i a, kiedy była mała. Pomyślcie, że też taborety mogą być tak stare!

Pewnego dnia bawiliśmy się razem w domku. Udawaliśmy, że Jonas to tatuś, ja to mamusia, a Lotta była naszą pomocnicą i nazywała się Majka.

— Teraz tatuś z Malutką wyjdą na spacer — powiedział Jonas, wziął wózek z lalką-bobaskiem cioci Kajsy i ruszył do ogrodu.

— A ja teraz wyszoruję kuchnię — oświadczyła Lotta.

— Najpierw zrobimy ser — powiedziałam, bo to przecież ja miałam decydować, ponieważ byłam mamusią.

— Nie będzie tu żadnego sera, póki nie wyszoruję podłogi — odrzekła Lotta.

Wtedy Jonas i ja powiedzieliśmy, że przesta-
niemy się z nią bawić, jeśli nie będzie robiła tego, co jej każemy. A później robiliśmy ser. Gdy
chce się zrobić ser, bierze się porzeczki i maliny,
wkłada je do chusteczki do nosa, potem wyciska
z nich cały sok i z tego, co zostało w chustecz-
ce, robi się małe okrągłe serki, które są bardzo
kwaśne.

— Czy wreszcie można wyszorować podłogę w kuchni? — spytała Lotta.

Wzięła wiadro, poszła do kuchni babci po
wodę i prawie całą tę wodę wylała na podłogę

w domku do zabawy. Potem zaczęła szorować szczotką, którą zdążyła przedtem namydlić. Po chwili Lotta była cała mokra.

— Co ty robisz? Pływasz? — spytał Jonas, który już nie spacerował z Malutką.

— Szoruję podłogę w kuchni — odparła Lotta. — Bo trzeba szorować podłogę w kuchni i to jest bardzo przyjemne.

Ale wytrzeć wodę musieliśmy Jonas i ja. Lotta nie chciała. Stała tylko i przyglądała się, jak to robimy.

Majka, ta prawdziwa Majka, ma zwyczaj śpiewać i tańczyć. Podskakuje i wywija nogami i śpiewa: „Paraparaparapapie, zaraz ciebie tu ucapię".

Lotta robiła to samo co Majka. Wywijała nogami i śpiewała: „Paraparaparapapie, zaraz ciebie tu ochlapię". I kiedy śpiewała „ochlapię", chwyciła trzepaczkę, która wisi na ścianie w domku do zabawy, zanurzyła ją w wiadrze i chlapnęła wodą na Jonasa i na mnie. Śmiała się przy tym jak szalona. Rozzłościliśmy się na nią i powiedzieliśmy, że jeśli jest taka głupia, to może sobie

sama wycierać wodę. Ale Lotta dalej wymachiwała nogami i śpiewała: „zaraz ciebie tu ochlapię". Na podłodze było bardzo ślisko od mydła i kiedy Lotta w najlepsze wierzgała nogami, upadła i uderzyła głową o szafę. Biedna Lotta! Wtedy krzyknęła:

— To wcale nie jest miłe być Majką!

I wyszła na dwór, żeby poszukać kotka, który by ją pocieszył. Jonas i ja bawiliśmy się więc sami. Z liści bzu zrobiliśmy szpinak i jedliśmy ser i szpinak, chociaż tylko na niby.

Nagle usłyszeliśmy, że Lotta na podwórku strasznie krzyczy.

Gdy wyjrzeliśmy, zobaczyliśmy, że Lotta ciągnie kotka za ogon. Kotek rozzłościł się i ją podrapał. Wtedy Lotta wróciła do nas zapłakana i krzyczała:

— Ja go tylko trzymałam za łodyżkę, a on mnie podrapał!

Mamusi i babci nie było w domu, więc poszliśmy poszukać Majki, żeby zalepić Lotcie skaleczenie plastrem. Majki nie było w kuchni.

Ale Lotta zapomniała zakręcić kran, kiedy brała wodę do szorowania, i mogę was zapewnić, że tam było dziesięć razy więcej wody niż w domku do zabawy, gdy Lotta szorowała podłogę. Jonas przelazł przez wodę i zakręcił kran i właśnie w tym momencie nadeszła Majka.

Klasnęła w ręce i krzyknęła:

— Co ty robisz, Jonas?

— On pływa — powiedziała Lotta i zaczęła pękać ze śmiechu.

Ale Majka chciała wiedzieć, kto zostawił odkręcony kran, więc Lotta powiedziała:

— Ja.

— Dlaczego to zrobiłaś? — spytała Majka.

— Bo ja mam dziś swój echowy dzień — odparła Lotta.

„Echowy dzień" mówi Lotta i ma wtedy na myśli pechowy dzień, gdy wszystko idzie na opak. Ja myślę, że Lotta ma prawie stale pechowy dzień.

Majka wytarła podłogę, przylepiła Lotcie plaster i przy kuchennym stole dała nam czekolady i bułeczek. Tańczyła też dla nas i wyma-

chiwała nogami, i śpiewała: „Paraparaparapapie, zaraz ciebie tu ucapię".

Lotta zjadła pięć bułeczek, Jonas cztery, a ja
tylko trzy.

— To jest całkiem miły echowy dzień — powiedziała Lotta.

I uściskała Majkę tak mocno, jak tylko mogła, i zaśpiewała:

— Paraparaparapipam, zaraz ci całuska dam.

I zrobiła to, a wtedy Majka powiedziała, że
Lotta to miłe dziecko.

Lotta jest murzyńskim niewolnikiem

Lotta, Jonas i ja mamy dwoje kuzynów. To są dzieci cioci Kajsy. Gdy w lecie zeszłego roku byliśmy u babci i dziadka na wsi, przyjechała tam też ciocia Kajsa z Anną Klarą i z Tottem. Anna Klara i Totte to właśnie nasi kuzyni. Anna Klara ma tyle lat, ile Jonas, a Totte jest tak samo mały jak Lotta. Anna Klara może stłuc Jonasa, bo jest taka silna. I uważa, że ma prawo kazać

nam robić, co tylko zechce. A Lotta jak nic może stłuc Tottego, chociaż mamusia mówiła jej, że tego nie wolno robić.

— Dlaczego bijesz Tottego, przecież jest grzeczny? — spytała mamusia Lottę.

— Bo on wygląda tak ślicznie, kiedy płacze — odpowiedziała Lotta.

Wtedy Lotta została wysłana do domku do zabawy, żeby tam siedziała dopóty, dopóki nie będzie znów grzeczna. A Anna Klara wpadła na pomysł, żebyśmy się bawili, że Lotta siedzi w więzieniu, a my ją uratujemy.

— Najpierw musimy przemycić dla niej trochę jedzenia — powiedziała Anna Klara. — Bo w więzieniu dostaje się tylko chleb i wodę.

Poszliśmy więc do kuchni i poprosiliśmy Majkę, żeby nam dała zimnych klopsików. Anna Klara włożyła klopsiki do małego koszyczka, który mamy do zbierania jagód. Potem Jonas i Anna Klara wdrapali się na dach domku do zabawy i wołali do Lotty, że spuścimy jej jedzenie przez komin. Wtedy Lotta wystawiła głowę przez okno i spytała, dlaczego nie może dostać jedzenia przez okno albo drzwi.

— Czy drzwi nie są zamknięte? — spytała Anna Klara.

— Nie, to naprawdę marne więzienie — odparła Lotta. — Dawajcie wreszcie te klopsiki!

Ale wtedy Anna Klara zrobiła się zła i powiedziała, że jak się siedzi w więzieniu, to trzeba dostawać jedzenie przez komin.

— Tak to już jest — powiedziała Anna Klara.

— Dobrze! — zgodziła się Lotta.

Anna Klara przywiązała do koszyka długi sznurek i spuściła koszyk przez komin. Jonasowi pozwoliła wprawdzie pomagać, choć niewiele. A Tottemu i mnie wolno było tylko stać na dole i patrzeć.

— Klopsiki nadchodzą! — krzyknęła Lotta w domku. — I dużo sadzy też — dodała.

Totte i ja zajrzeliśmy przez okno i zobaczyliśmy, jak Lotta zjada klopsiki. Było na nich mnóstwo sadzy, więc buzia i ręce Lotty zrobiły się całkiem czarne. Anna Klara powiedziała, że to dobrze, bo teraz Lotta może być murzyńskim niewolnikiem, którego będziemy ratować. Wtedy Lotta posmarowała się sadzą jeszcze bardziej, żeby stać się prawdziwym murzyńskim

niewolnikiem. Ale Totte rozpłakał się, bo uważał, że murzyńscy niewolnicy są groźni.

— Oni nie są groźni — powiedziała Anna Klara.

— Ale wyglądają groźnie — wychlipał Totte i rozpłakał się jeszcze bardziej.

Lotta była bardzo z tego zadowolona. Zaczęła robić straszne miny i powiedziała:

— N i e k t ó r z y murzyńscy niewolnicy są jednak bardzo groźni.

A potem dodała:

— Teraz od razu mnie ratujcie, bo chcę biegać dookoła i straszyć ludzi. Lubię, jak ludzie się mnie boją.

Anna Klara i Jonas wpadli na pomysł, żeby ratować Lottę przez okno, które znajduje się z tyłu domku. Przynieśliśmy huśtawkę, bo Anna Klara stwierdziła, że to będzie most nad przepaścią przed więzieniem. Przystawiliśmy deskę od huśtawki do okna i Anna Klara, i Jonas, i ja wleźliśmy po niej, żeby ratować murzyńskiego niewolnika. Ale Totte nie właził. Tylko patrzył i płakał.

Kiedy weszliśmy do domku, Lotty nie było. Anna Klara rozzłościła się.

— Gdzie to dziecko poszło? — krzyknęła.

— Uciekłam — powiedziała Lotta, kiedyśmy ją znaleźli.

Siedziała przy krzaku porzeczek i zajadała je.

— Mieliśmy cię właśnie uratować — powiedziała Anna Klara.

— Uratowałam się sama — odparła Lotta.

— Z tobą nigdy nie można się bawić — stwierdził Jonas.

— Cha, cha — zaśmiała się Lotta.

Wtedy nadeszła mamusia i zobaczyła, że Lotty nie ma w domku do zabawy.

— Jesteś grzeczna, Lotto? — spytała.

— Taak... choć trochę czarna — odparła Lotta.

Mamusia najwyraźniej także bała się murzyńskich niewolników, bo załamała ręce i zawołała:

— Wielkie nieba! Jak ty wyglądasz?!

I Lotta musiała pójść do pralni i myć się przez całe pół godziny.

A po obiedzie wzięliśmy koszyk i zbieraliśmy do niego poziomki.

U dziadków na łące jest dużo poziomek. Och, jak myśmy się przestraszyli, gdy zbieraliśmy poziomki. Bo zobaczyliśmy węża. Tylko Totte się nie bał.

— Patrzcie, ogonek, który nie ma pieska — powiedział Totte. Nie wiedział, że to wąż.

Wróciliśmy do domu i Anna Klara podzieliła wszystkie poziomki, tak że każde z nas miało tyle samo. Chociaż Annie Klarze dostały się największe i najbardziej dojrzałe.

Totte i Lotta usiedli na werandzie, żeby zjeść swoje poziomki. Po chwili usłyszeliśmy, że Totte płacze. Ciocia Kajsa wychyliła głowę i spytała:

— Dlaczego Totte płacze?

— On płacze, bo nie pozwalam mu spróbować moich poziomek — odpowiedziała Lotta.

— A jego poziomki już się skończyły? — zapytała ciocia Kajsa.

— Tak — odparła Lotta. — Zupełnie się skończyły. — I on płakał też, kiedy ja je jadłam.

Wtedy nadeszła mamusia, zabrała Lotcie poziomki i dała je Tottemu, a Lotta powiedziała:

— Tralala, myślę, że pójdę się położyć.

— Tak będzie najlepiej — powiedziała mamusia. — Jesteś chyba zmęczona, Lotto.

— Jasne, że nie jestem — odparła Lotta. — Mam nogi pełne biegania. Ale i tak pójdę się położyć.

Wieczorem Lotta była bardzo miła dla Tottego. Miał on spać w małym pokoju gościnnym zupełnie sam. Ale przestraszył się ciemności i płakał, i chciał, żeby drzwi zostawić otwarte. Ciocia Kajsa zdziwiła się:

— Ależ Totte, malutki, przecież w domu nigdy się nie boisz ciemności.

— Wtedy Lotta powiedziała:

— Bo wiesz, ciociu Kajso, w domu to jest jego własna ciemność. Nie jest przyzwyczajony do ciemności babci, chyba to rozumiesz.

I Totte został położony w tym samym pokoju, co ja i Jonas, i Lotta. Potem Lotta ucałowała go i otuliła kołdrą.

— A teraz ci zaśpiewam, żebyś się nie bał — powiedziała.

I zaśpiewała mu to, co zwykle mamusia śpiewa nam na dobranoc:

*A aniołki małe boże
skrzydła swe rozpościerają.
Wokół dziatek, co sen zmorzył,
na calutką nockę stają.*

— I Lotta też — powiedziała Lotta. — Nie żaden murzyński niewolnik.

W czasie świąt Bożego Narodzenia jest nam wesoło

Raz Jonas powiedział do mnie:

— Co lubisz najbardziej? Słońce, księżyc czy gwiazdy?

Odpowiedziałam, że lubię je tak samo. Chociaż może troszkę, troszeczkę bardziej lubię gwiazdy, bo świecą tak pięknie, kiedy idziemy na pasterkę. I Boże Narodzenie także bardzo, bardzo lubię.

W ubiegłe Boże Narodzenie bardzo chciałam dostać na Gwiazdkę narty. Dlatego okropnie się bałam, że może nie być śniegu. Lotta także chciała, żeby był śnieg, ponieważ pragnęła dostać sanki.

Pewnego wieczoru przed świętami Lotta powiedziała:

— Już prosiłam tatę o sanki, a teraz poproszę Pana Boga, żeby był śnieg, inaczej nie będę mogła na nich zjeżdżać.

I powiedziała tak:

— Kochany, dobry Boże, zrób, żeby zaraz natychmiast zaczął padać śnieg. Pomyśl o biednych kwiatkach, które potrzebują ciepłej kołderki, gdy leżą w ziemi i śpią, i jest im tak zimno.

Potem zerknęła na mnie znad brzegu łóżka i powiedziała:

— Tym razem byłam chyba sprytna, bo nie powiedziałam, żeby śnieg spadł dla moich sanek.

I wyobraźcie sobie, gdy rano obudziliśmy się, zaczął padać śnieg. Jonas, Lotta i ja stanęliśmy przy oknie tylko w piżamach i patrzyliśmy, jak coraz to więcej i więcej płatków śniegu pada na podwórko i na nasz ogród, i na ogród cioci Berg. Ubraliśmy się najszybciej jak mogliśmy i wybiegliśmy na dwór i rzucaliśmy śnieżkami. Ulepiliśmy bardzo, bardzo ładnego bałwana, któremu tatuś po powrocie do domu nałożył swój kapelusz.

Cały dzień było nam bardzo, bardzo wesoło i mamusia uznała, że to dobrze, że jesteśmy na dworze, bo u nas była pani Fransson, żeby pomóc mamie posprzątać dom na święta. Lotta lubi rozmawiać z panią Fransson i mówi do niej „ty", chociaż mamusia powiedziała, że tak nie wolno. Lotta ma mówić „pani Fransson", twierdzi mama. Pani Fransson też lubi rozmawiać z Lottą, ale mama powiedziała jej, żeby nie odpowiadała, gdy Lotta będzie mówiła „ty".

Tego dnia, kiedy ulepiliśmy bałwana, Lotta powiedziała do pani Fransson w czasie śniadania:

— Hej, ty, zobacz, jakie mam mokre rękawiczki!

Pani Fransson nic nie odpowiedziała, a Lotta pytała dalej:

— Widziałaś naszego bałwana?

Pani Fransson nadal się nie odzywała. Lotta umilkła na dłuższą chwilę, a potem powiedziała:

— O co, faraon, ty jesteś zła, pani Fransson?

Wtedy mamusia odezwała się:

— Lotta, wiesz, że nie wolno ci mówić „faraon" i „ty" do pani Fransson.

— To nie mogę w ogóle z nią rozmawiać — odrzekła Lotta.

Pani Fransson powiedziała, że przecież, na miłość boską, ona bardzo chce, żeby Lotta z nią rozmawiała, i poprosiła mamusię, żeby Lotta mogła mówić do niej „ty". Mamusia roześmiała się i powiedziała, że w takim razie Lotta może mówić „ty".

— I „faraon" także — dodała Lotta.

— Nie, „faraon" nie — powiedziała mama.

Potem mama wyszła, a Lotta powiedziała:

— Wiem, co zrobię. Kiedy będę miała na myśli „faraon", to powiem „Fransson". Bo przecież mama lubi, jak mówię „Fransson".

A potem dodała:

— Fuj, Fransson, jak to jest miło, kiedy są święta.

I to prawda, że jest miło. Jonas i ja, i Lotta pomagaliśmy mamusi przy świątecznym sprzątaniu, odgarnialiśmy śnieg na podwórzu i ustawiliśmy bożonarodzeniowe snopki dla ptaków. Mamusia powiedziała, że jesteśmy zuchy.

— Zupełnie nie wiem, co bym robiła, gdybym was nie miała — powiedziała.

Lotta, która każdego dnia bardzo dokładnie wycierała noże, teraz powiedziała:

— Zupełnie nie wiem, co bym robiła, gdybym nie miała siebie. Chociaż, fuj, Fransson, ile to się trzeba narobić.

Było nam też bardzo wesoło, gdy kupowaliśmy prezenty gwiazdkowe. Pieniądze wzięliśmy z naszych skarbonek-świnek, do których oszczędzaliśmy przez cały rok. Wszyscy troje poszliśmy do miasta kupować gwiazdkowe prezenty. Bardzo przyjemnie kupować gwiazdkowe prezenty, kiedy pada śnieg, na rynku stoi pełno choinek, a ludzie wbiegają i wybiegają ze sklepów. Jonas i ja chcieliśmy kupić laleczkę do kąpania dla Lotty, więc powiedzieliśmy jej, żeby poczekała na nas na ulicy, a sami weszliśmy do sklepu z zabawkami.

— Ale nie wolno ci nas podglądać — powiedział Jonas.

— Możesz za to zaglądać do cukierni Karlmana — zaproponowałam.

Lotta zrobiła to chętnie, bo na wystawie
u Karlmana było mnóstwo marcepanowych świ-
nek i innych pysznych rzeczy.

Kiedy Jonas i ja kupiliśmy laleczkę do kąpie-
li i wyszliśmy na ulicę, Lotty nie było. Nagle wyszła od Karlmana.

— Coś ty robiła? — spytał Jonas.

— Kupiłam ci gwiazdkowy prezent — odpowiedziała Lotta.

— A co kupiłaś? — dopytywał się Jonas.

— Ciastko z bitą śmietaną — odparła Lotta.

— Och, ty ośle, przecież ono nie wytrzyma do Wigilii — stwierdził Jonas.

— No, właśnie o tym pomyślałam — powiedziała Lotta — więc je zjadłam.

I wyobraźcie sobie, w tej chwili nadszedł tatuś. Nie wiedział, że wyszliśmy kupować gwiazdkowe prezenty.

— Wydaje mi się, że te dzieci już kiedyś widziałem, choć nie pamiętam, gdzie — powiedział tatuś. — Ale wyglądają milutko, więc myślę, że zaproszę je do cukierni.

O jak się ucieszyliśmy! Do picia dostaliśmy czekoladę. Zjedliśmy tyle ciastek, ile tylko mogliśmy, i siedzieliśmy na zielonej kanapie u Karlmana, i dookoła było wielu ludzi, którzy robili gwar i rozmawiali. Wszyscy mieli paczki z kupionymi gwiazdkowymi prezentami, na ulicy za oknem padał śnieg, a ciastka miały mnóstwo bitej śmietany. To był bardzo miły dzień. Potem podeszła do nas jedna ciocia, nazywa się pani Friberg, i zaczęła rozmawiać z tatusiem. Jonas i ja byliśmy cicho, ale Lotta mówiła jeszcze więcej niż pani Friberg. Wtedy tatuś powiedział:

— Lotta, nie wolno ci mówić, gdy dorośli rozmawiają. Masz poczekać, aż skończą.

— Ho, ho — odparłała Lotta. — Próbowałam, ale to się nie daje. Bo oni chyba nigdy nie przestają mówić.

Wtedy pani Friberg roześmiała się i powiedziała, że musi iść do domu piec pierniczki.

My także piekliśmy pierniczki, ale dopiero następnego dnia. Oj, upiekliśmy tyle pierniczków, że Jonas i Lotta, i ja mieliśmy pełne puszki. Piekliśmy je zupełnie sami. Wszystkie puszki zanieśliśmy do dziecinnego pokoju i ustaliliśmy, że pierniczki zachowamy do Wigilii. Lotta zjadła swoje jeszcze tego samego dnia i na obiad nie chciała jeść przecieranej brukwi.

— Może one nie wytrzymają do Wigilii — powiedziała Lotta.

A potem każdego dnia przychodziła do mnie i do Jonasa i mówiła:

— Dobry panie, miej nade mną zlitowanie.

Wreszcie nastała Wigilia i był to najmilszy dzień z całego roku. A w Wigilię było tak:

Jak tylko zbudziliśmy się, pobiegliśmy do kuchni, gdzie mama przygotowywała kawę. Potem siedzieliśmy wszyscy przed kominkiem w bawialni i piliśmy kawę, choć kiedy indziej nie

wolno nam jej pić. I jedliśmy szafranowe bu-
łeczki i pierniczki, i ciasteczka.

A choinka pachniała przepięknie. Gdy tylko
wypiliśmy kawę, ubraliśmy choinkę, tatuś i Jonas, i ja, i Lotta.

Mamusia była w kuchni i przygotowywała śledziową sałatkę.

— W naszym domu jest tak pięknie — zauważył Jonas — że według mnie jest to najpiękniejszy dom w całym mieście.

— I najładniej w nim pachnie — dodała Lotta.

Mamusia zasadziła wcześniej pełno białych hiacyntów, które teraz cudownie pachniały, i wszędzie były poustawiane świece, i wszystko wyglądało inaczej i pachniało inaczej. Lubię, kiedy tak inaczej pachnie w czasie świąt Bożego Narodzenia.

Przez cały dzień dużo jedliśmy i w kuchni maczaliśmy chleb w wywarze z szynki. Po południu poszliśmy z mamą do cioci Berg, aby dać jej gwiazdkowe prezenty, i dostaliśmy ciasteczka i prażone migdały. Lotta dostała śliczną czerwoną czapeczkę, którą ciocia zrobiła na drutach.

— Teraz mogę być prawie Świętym Mikołajem — powiedziała Lotta.

Ale nim nie była. Ponieważ wieczorem przyszedł prawdziwy Święty Mikołaj. Potupał

w przedsionku, zapukał do drzwi i wszedł. Na plecach miał wór wypchany prezentami.

— Chyba nie muszę nawet pytać, czy tu są grzeczne dzieci — powiedział Święty Mikołaj — bo to widać już po adresie. — Potem dodał, patrząc na Lottę:

— Uważaj, żeby ci oczka nie wypadły z głowy.

Bo Lotta stała wpatrzona w niego, a jej oczy zrobiły się bardzo duże i okrągłe.

Święty Mikołaj wyszedł i wrócił z wielką paczką, w której były moje narty, i z drugą wielką paczką, w której były Lotty sanki. Ale Lotta dalej stała cicho i nie ruszyła się, dopóki Święty Mikołaj nie wyszedł.

— Dlaczego nic nie mówisz, Lotto? — spytała mamusia.

— Czuję mróz w brzuchu, kiedy widzę Świętego Mikołaja — odpowiedziała Lotta. — Fuj, Fransson, ale mam mróz w brzuchu!

W Wigilię wolno nam było nie kłaść się tak długo, jak chcieliśmy. Jedliśmy orzechy i pomarańcze przed kominkiem, tańczyliśmy wokół choinki i wszystko było takie cudowne. A następnego dnia, w pierwszy dzień świąt, poszliśmy na pasterkę. Na bożonarodzeniowych snopkach leżała masa śniegu, ale strząsnęliśmy go, żeby wróble miały co jeść, i ruszyliśmy na pasterkę. Gwiazdy świeciły, dlatego właśnie najbardziej lubię gwiazdy, choć księżyc i słońce są także ładne. Kiedy gwiazdy lśnią nad ulicą Awanturników, to ta ulica staje się niezwykła. Świeciło się

prawie we wszystkich domach. Wyglądało to pięknie i jednocześnie niezwykle.

Wysoko, wysoko, dokładnie nad ratuszem,
błyszczała gwiazda. Była to największa gwiazda, jaką widziałam w życiu.

— To jest pewnie gwiazda betlejemska — powiedziała Lotta.

Spis rozdziałów

Wydawnictwo NASZA KSIĘGARNIA Sp. z o.o.
02-868 Warszawa, ul. Sarabandy 24 c
tel. 022 643 93 89, 022 331 91 49
faks 022 643 70 28
e-mail: naszaksiegarnia@nk.com.pl
Dział Handlowy
tel. 022 331 91 55, tel./faks 022 643 64 42
Sprzedaż wysyłkowa
tel. 022 641 56 32
e-mail: sklep.wysylkowy@nk.com.pl **www.nk.com.pl**

Redaktor **Małgorzata Grudnik-Zwolińska**
Redaktor techniczny **Małgorzata Wielądek**
DTP **Karia Korobkiewicz**

ISBN 83-10-11083-9

PRINTED IN POLAND
Wydawnictwo „Nasza Księgarnia", Warszawa 2006 r.
Druk: Drukarnia Wydawnicza im. W.L. Anczyca S.A.